Au moment de l'**heure des histoires**, tandis que l'un regarde les images et l'autre lit le texte, une relation s'enrichit, une personnalité se construit, naturellement, durablement.

Pourquoi ? Parce que la lecture partagée est une expérience irremplaçable, un vrai point de rencontre. Parce qu'elle développe chez nos enfants la capacité à être attentif, à écouter, à regarder, à s'exprimer. Elle élargit leur horizon et accroît leur chance de devenir de bons lecteurs.

Quand ? Tous les jours, le soir, avant de s'endormir, mais aussi à l'heure de la sieste, pendant les voyages, trajets, attentes... La lecture partagée permet de retrouver calme et bonne humeur.

Où ? Là où l'on se sent bien, confortablement installé, écrans éteints... Dans un espace affectif de confiance et en s'assurant, bien sûr, que l'enfant voit parfaitement les illustrations.

Comment ? Avec enthousiasme, sans réticence à lire « encore une fois » un livre favori, en suscitant l'attention de l'enfant par le respect du rythme, des temps forts, de l'intonation.

Traduction de Christine Mayer

ISBN : 978-2-07-064103-1
Titre original : *I Want to Be !*
Publié pour la première fois en Angleterre
par Andersen Press Ltd., Londres
© Tony Ross 1993, pour le texte et les illustrations
© Gallimard Jeunesse 1993, pour la traduction française,
2011, pour la présente édition
Numéro d'édition : 267769
Loi n° 49-956 du 16 juillet 1949
sur les publications destinées à la jeunesse
Premier dépôt légal : septembre 2011
Dépôt légal : juin 2014
Imprimé en France par I.M.E.
Maquette : Claire Poisson

Je veux grandir !

Tony Ross

GALLIMARD JEUNESSE

« Il est temps que je grandisse ! »
pensa la petite princesse.

« Mais comment faire ?
Peut-être faut-il que je sois différente ? »

« Mais comment donc être différente ? »

« Humm, non ! Je ne crois pas que cela
soit une bonne idée. Je ferais mieux
de demander à Maman. »

– Maman, comment faut-il que je sois ?
demanda la petite princesse.
– Sois gentille... répondit sa maman,

... comme ton papa.

– Papa, comment faut-il que je sois?
demanda la petite princesse.
– Sois affectueuse... répondit son papa,

... comme ta maman.

– Dis, comment faut-il que je sois ?
demanda la petite princesse.
– Sois propre... répondit le cuisinier.

– J'ai tout cela à retenir ! soupira
la petite princesse. Je dois être
gentille, affectueuse et propre.

– Dis, comment faut-il que je sois ?
demanda la petite princesse.
– Sois courageuse… répondit le général.

« Courageuse... pensa la petite princesse.
Ah oui ! J'ai compris, je dois enlever
les araignées du fond de la baignoire
toute seule. »

– Dis, comment faut-il que je sois?
demanda la petite princesse.
– Sois une bonne nageuse...
répondit l'amiral,

... ainsi, tu seras saine et sauve
si ton bateau coule.

– Dis, comment faut-il que je sois ?
demanda la petite princesse.
– Sois intelligente...
répondit le Premier ministre.

– Et en bonne santé, dit le docteur.

– Oh là là ! s'écria la petite princesse...
Je dois être gentille, affectueuse et propre,
courageuse, bonne nageuse, intelligente
et en bonne santé. Je n'ai même pas assez
de doigts pour compter tout cela.

– Décidément, c'est bien difficile
de grandir !

– Dis, comment faut-il que je sois ?
demanda la petite princesse.
– Je ne sais pas du tout, répondit
la femme de chambre.

– Écoute, la question la plus importante,
c'est... Comment veux-tu être, TOI?

– Je veux être...

... GRANDE, dit la petite princesse.

– Mais tu ES grande, dit le petit prince.

L'auteur-illustrateur

Tony Ross est né à Londres en 1938 : fils de prestidigitateur, petit-fils de musicien, arrière-petit-fils d'un des illustrateurs de Charles Dickens, et descendant du grand clan des Ross, de l'ancienne contrée viking des Highlands écossaises.

Il rêvait de devenir pilote d'avion et il devient illustrateur après son échec à l'examen d'entrée de l'École de l'air : dessiner était la seule chose qu'il savait faire ! Il travaille dans la publicité puis enseigne à l'école des beaux-arts de Manchester.

Il commence par publier des dessins humoristiques dans la presse et ses premiers livres pour les enfants en 1973.

Il est aujourd'hui l'un des auteurs-illustrateurs britanniques les plus reconnus, avec plusieurs centaines de livres à son actif. Mais ce qu'il aime avant tout, c'est raconter des histoires aux enfants et les faire rire. Tony Ross croit au Père Noël, adore les contes de fées et les histoires de reines et de rois, surtout quand les princes et les princesses sont de sacrés garnements ! C'est un poète qui sait aussi bien jongler avec les mots qu'avec les couleurs.

Il aime aborder tous les sujets, même les plus graves, en faisant rire. Tony Ross vit en Angleterre, au bord de la mer. « Ma principale ambition, c'est de divertir. Souvent, je réécris à ma manière des histoires traditionnelles pour contribuer à les faire connaître aux enfants d'aujourd'hui. Et, parfois, j'écris mes propres contes parce que je ne peux pas m'en empêcher. »

« Les illustrateurs doivent lire. Ils doivent être bons lecteurs. Je le dis sans cesse à mes élèves. »

Dans la même collection

n° 1 *Le vilain gredin*
par Jeanne Willis
et Tony Ross

n° 2 *La sorcière Camembert*
par Patrice Leo

n° 3 *L'oiseau qui ne savait
pas chanter*
par Satoshi Kitamura

n° 4 *La première fois
que je suis née* par Vincent
Cuvellier et Charles Dutertre

n° 5 *Je veux ma maman!*
par Tony Ross

n° 6 *Petit Fantôme*
par Ramona Bădescu
et Chiaki Miyamoto

n° 7 *Petit dragon*
par Christoph Niemann

n° 11 *Quel vilain rhino!*
par Jeanne Willis
et Tony Ross

n° 15 *Je veux mon p'tipot!*
par Tony Ross

n° 18 *L'énorme crocodile*
par Roald Dahl
et Quentin Blake

n° 21 *La promesse*
par Jeanne Willis
et Tony Ross

n° 22 *Gruffalo*
par Julia Donaldson
et Axel Scheffler

n° 34 *Capitaine Petit Cochon*
par Martin Waddell
et Susan Varley

n° 37 *Je ne veux pas
changer de maison!*
par Tony Ross

n° 42 *Je veux un ami!*
par Tony Ross

n° 46 *Qu'il est long,
ce loup-là !*
par Jean-François Ménard
et Dorothée de Monfreid

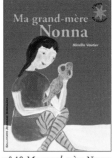

n° 48 *Ma grand-mère Nonna*
par Mireille Vautier

n° 50 *Le petit Motordu*
par Pef

n° 51 *Le drôle d'hiver d'Ours*
par John Yeoman
et Quentin Blake

n° 52 *Petit Gruffalo*
par Julia Donaldson
et Axel Scheffler

n° 54 *Brazéro. La dispute*
par Arnaud Alméras
et ®obin

n° 55 *Patience, Petit Renard*
par Kate Banks
et Georg Hallensleben

n° 56 *Tom Chaton*
par Beatrix Potter